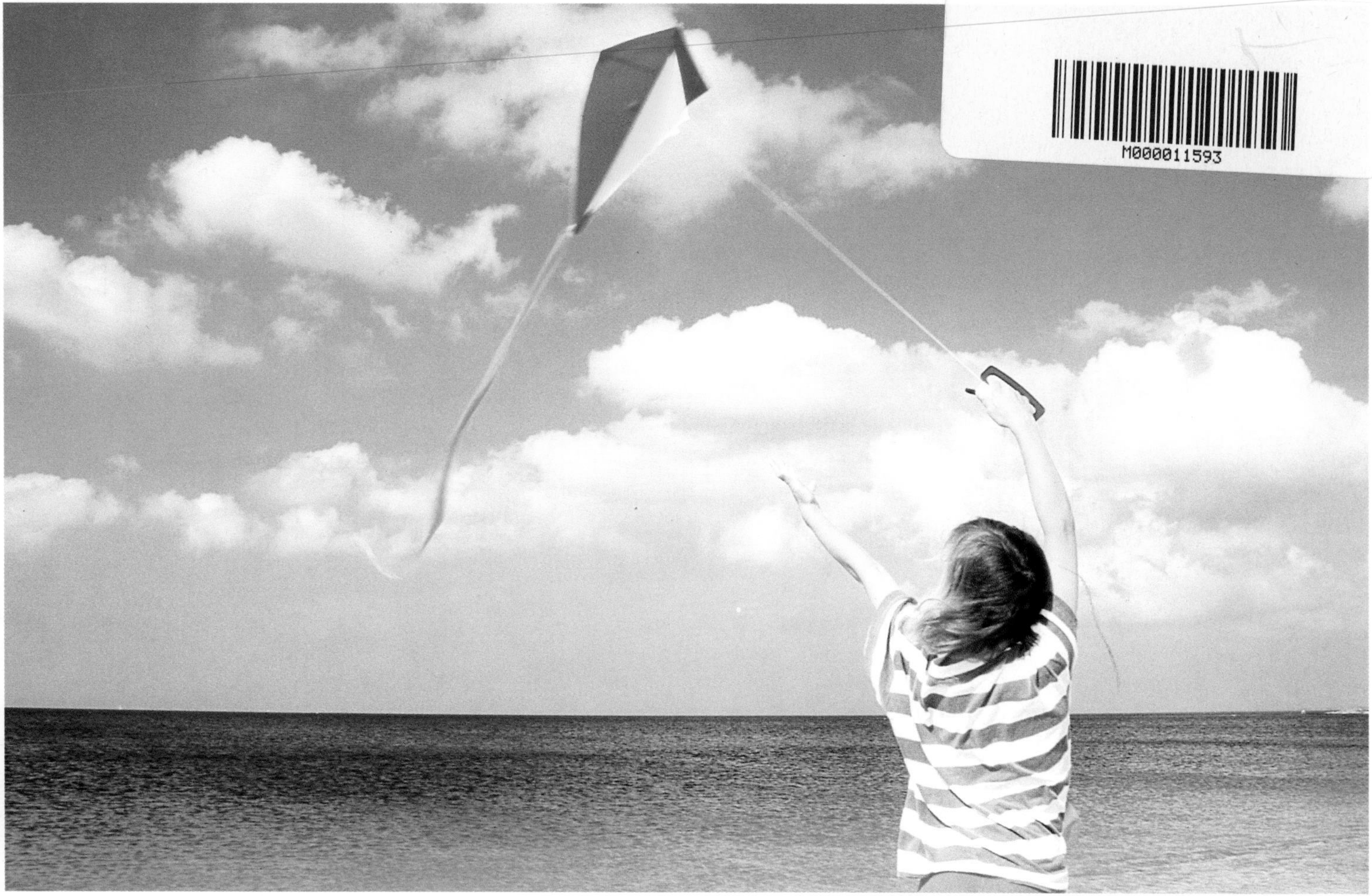

M000011593

# kite

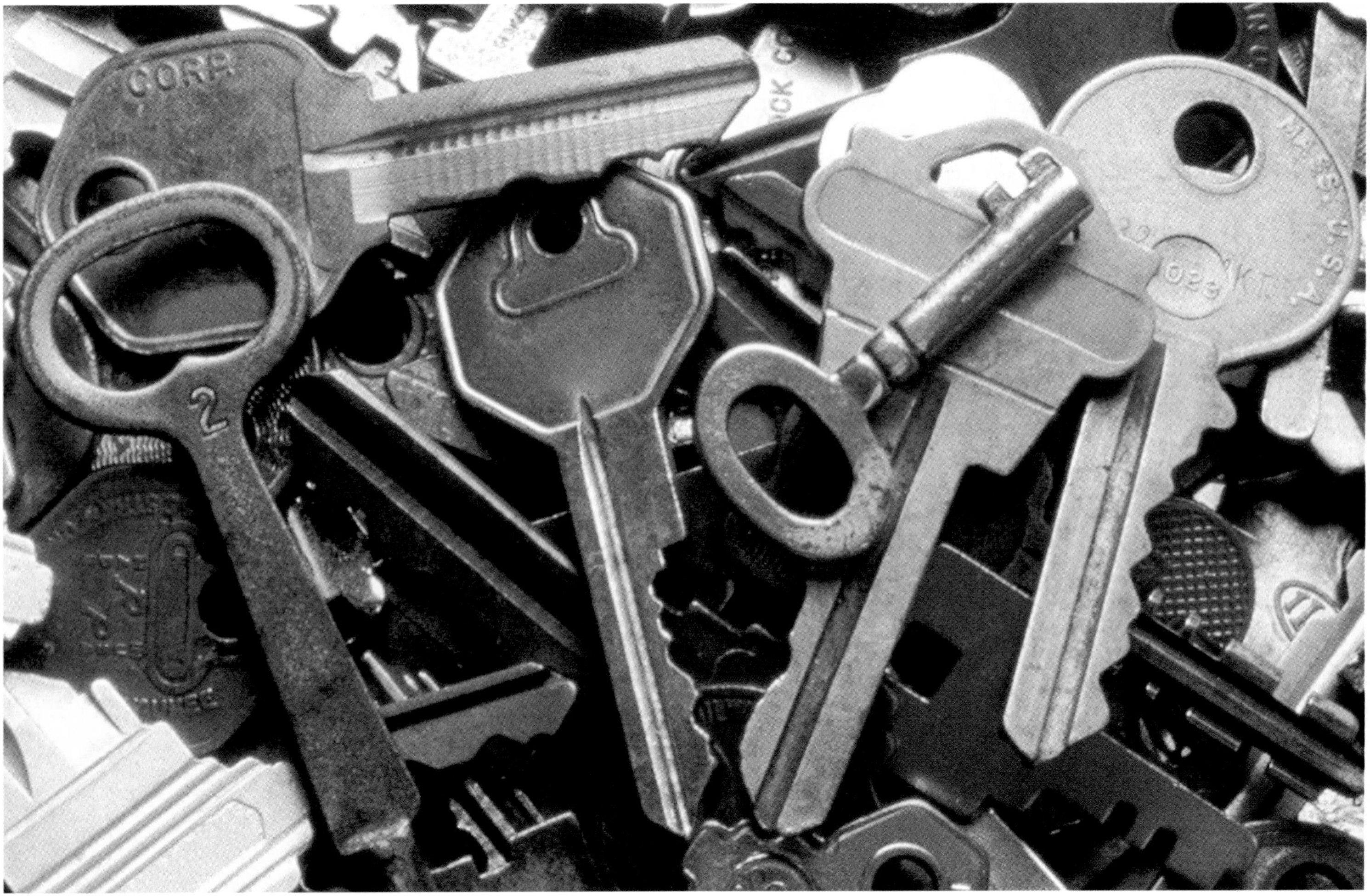
CORP
2
MASS. U.S.A.

# keys

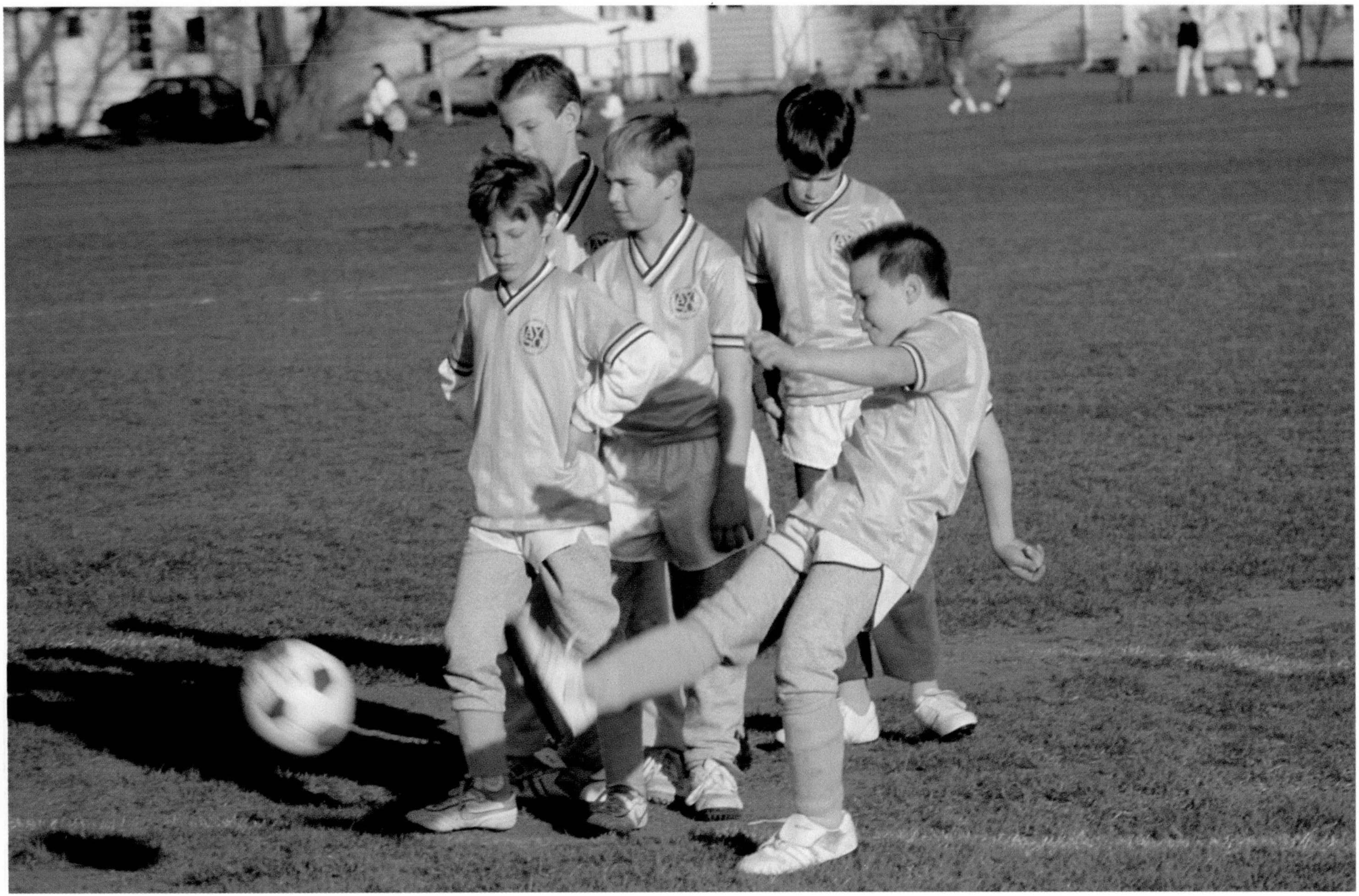

# kick

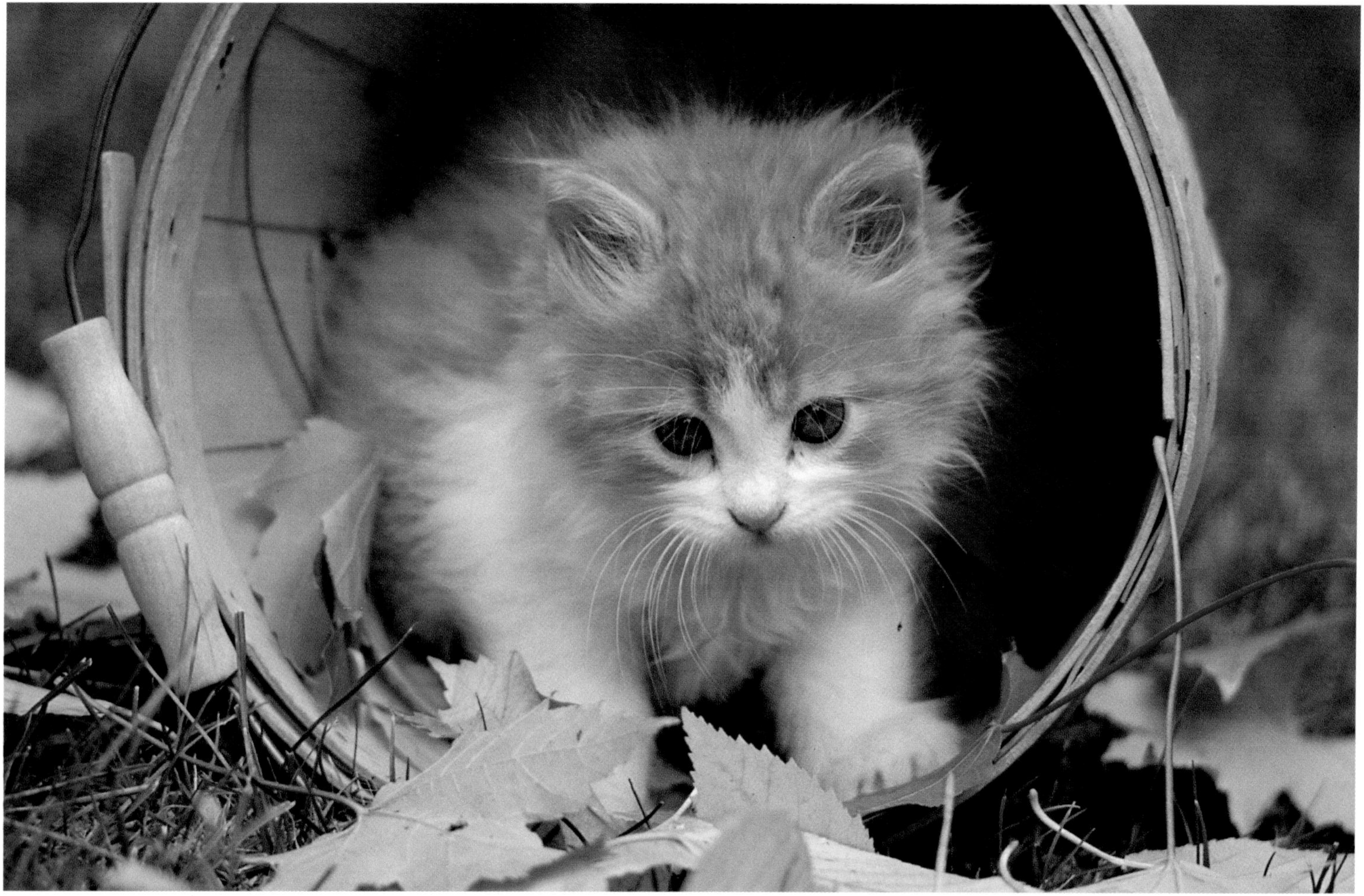

# kitten

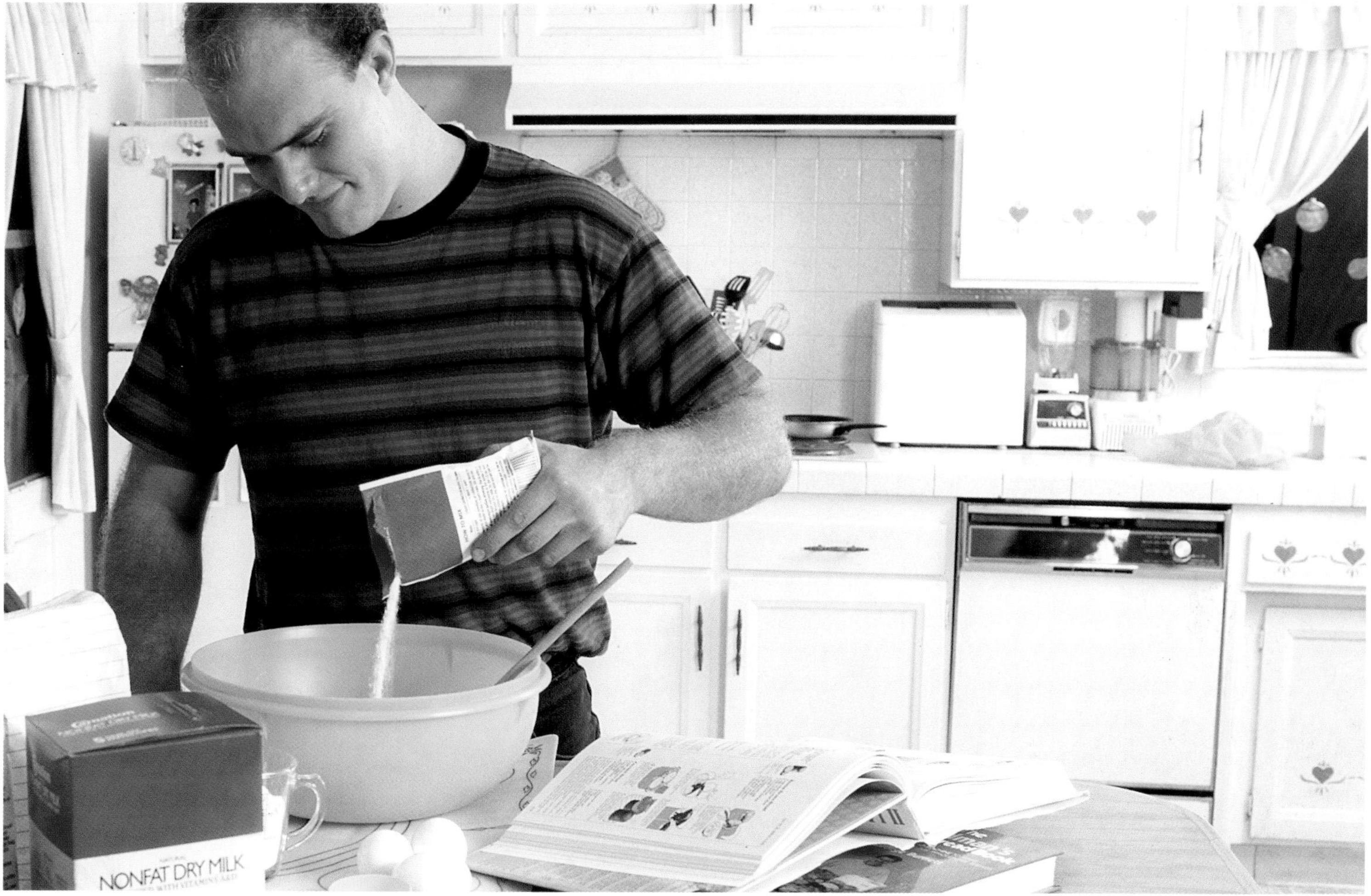


# kitchen

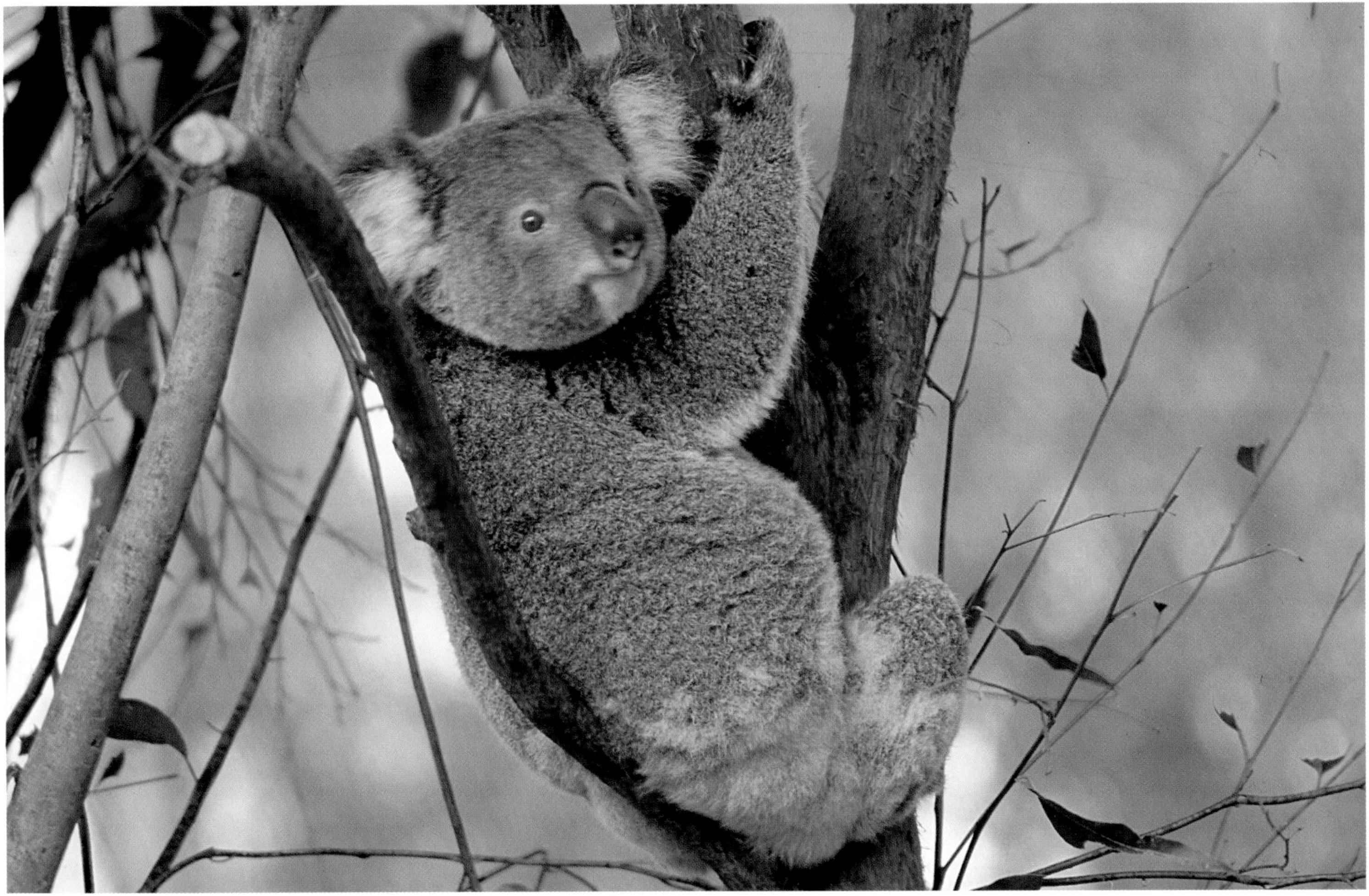

# koala

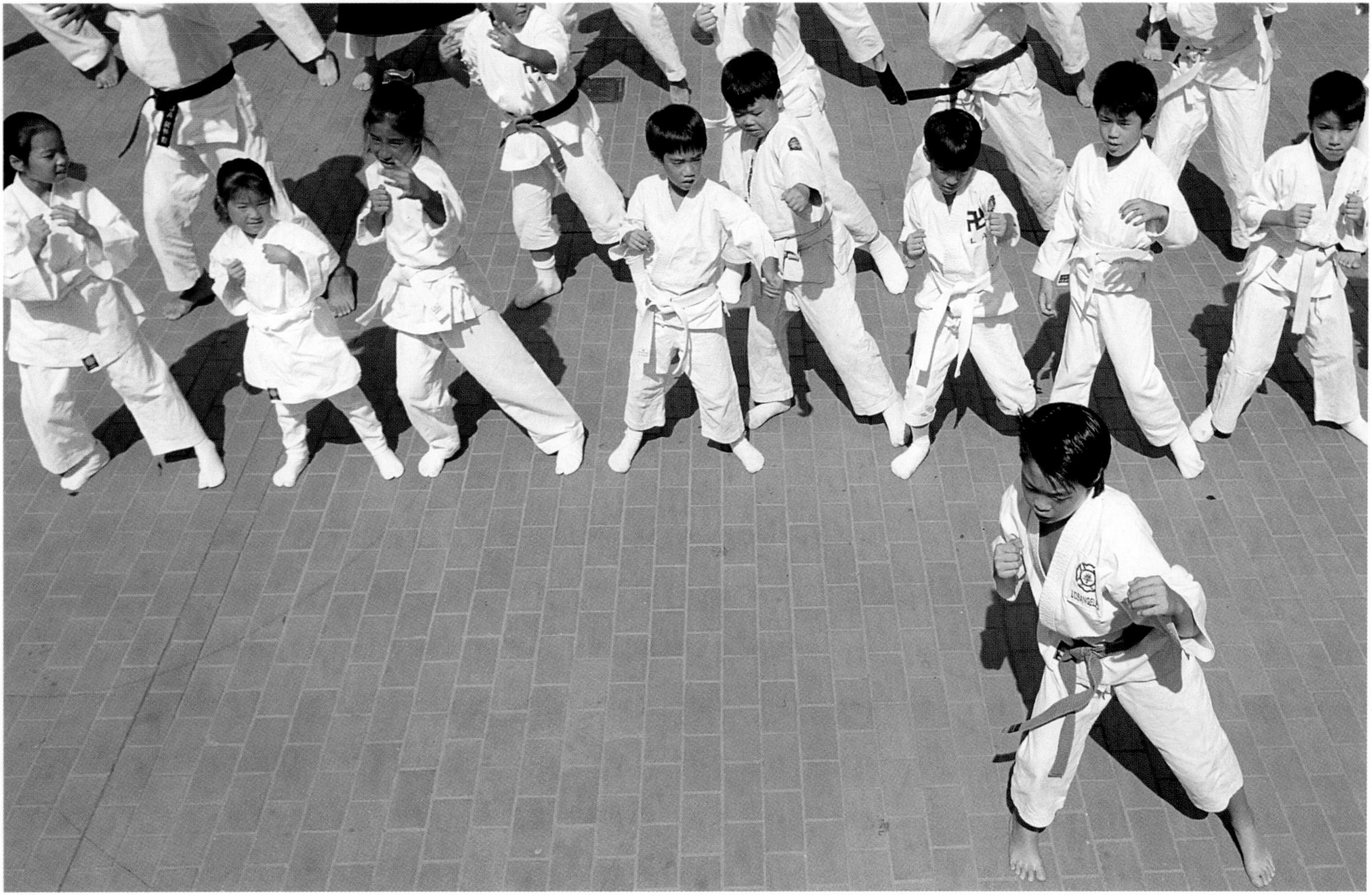

# karate

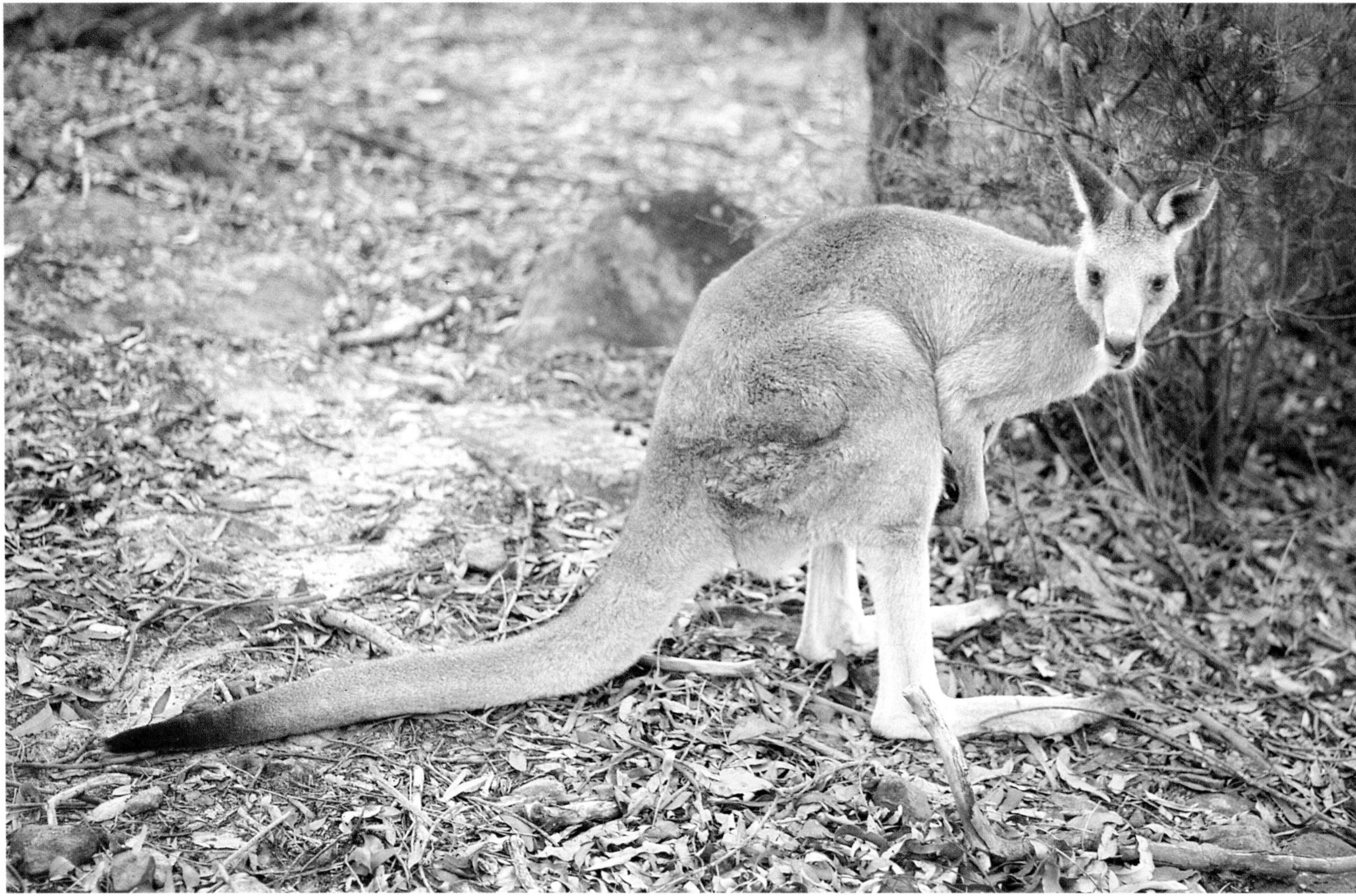

kangaroo